Juliette
fait de la musique

Texte et illustrations de
Doris Lauer

Juliette a une nouvelle passion. Du matin au soir, elle chante à tue-tête et emprunte casseroles, couvercles et cuillères pour faire des « pestacles » avec son petit frère. Kling, bang, boum ! C'est la fête des sons.

Juliette fait déjà du tambour, du xylophone, des maracas, du tambourin et des castagnettes. Une fois, son copain Nicolas lui a prêté sa guitare électrique et elle s'est sentie comme la plus grande des vedettes.

-Il faut qu'elle apprenne à jouer d'un instrument ! se disent ses parents.
Papa l'imagine déjà en virtuose du piano, maman pencherait plutôt pour le violon.

- Mais non, avec son caractère, c'est de la trompette qu'elle doit faire ! dit papy.
- Sottises ! proteste mamie, avec une clarinette elle serait encore plus jolie !

- Mais moi, je veux faire du « labatri » ! dit Juliette. Papy et mamie demandent :
- C'est un nouvel instrument ? Les parents ont compris et ne sont pas ravis ; ça va encore faire beaucoup de bruit !

Cela mérite quelques jours de réflexion,
surtout que petit Pierre s'y est déjà mis
et qu'avec tous les instruments à vent
et à percussion qui traînent à la maison,
c'est presque un concert permanent.

-Vous me cassez les oreilles, allez jouer dans votre chambre, les enfants ! crie maman.
-Mais si personne n'entend notre musique, c'est pas du tout marrant ! Alors Juliette s'en va écouter ses cassettes préférées.

Maman lui donne une leçon de solfège sur le petit piano : - Écoute ce « do », c'est le « do » de papa, et celui-ci, c'est le « do » de la petite souris, tu entends la différence ?
- Euh oui... Mais maintenant je veux faire chanteuse ! Pas besoin de « do », juste d'un micro !

Lito
41, rue de Verdun 94500 Champigny-sur-Marne
Imprimé en CEE
Loi n° 49-956 du 16 juillet 1949 sur les publications destinées à la jeunesse
Dépôt légal : octobre 2004